Texto **Bata**   Ilustraciones de **Alicia Suárez**

NICOLÁS VA DE COMPRAS

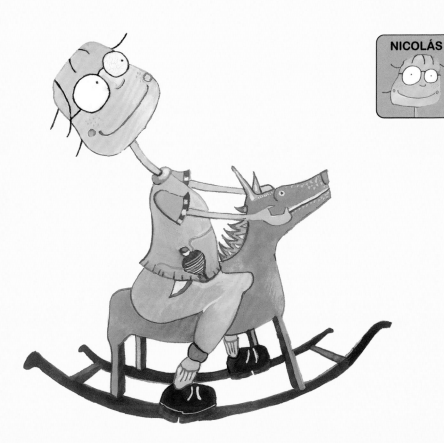

kalandraka   **Bata**

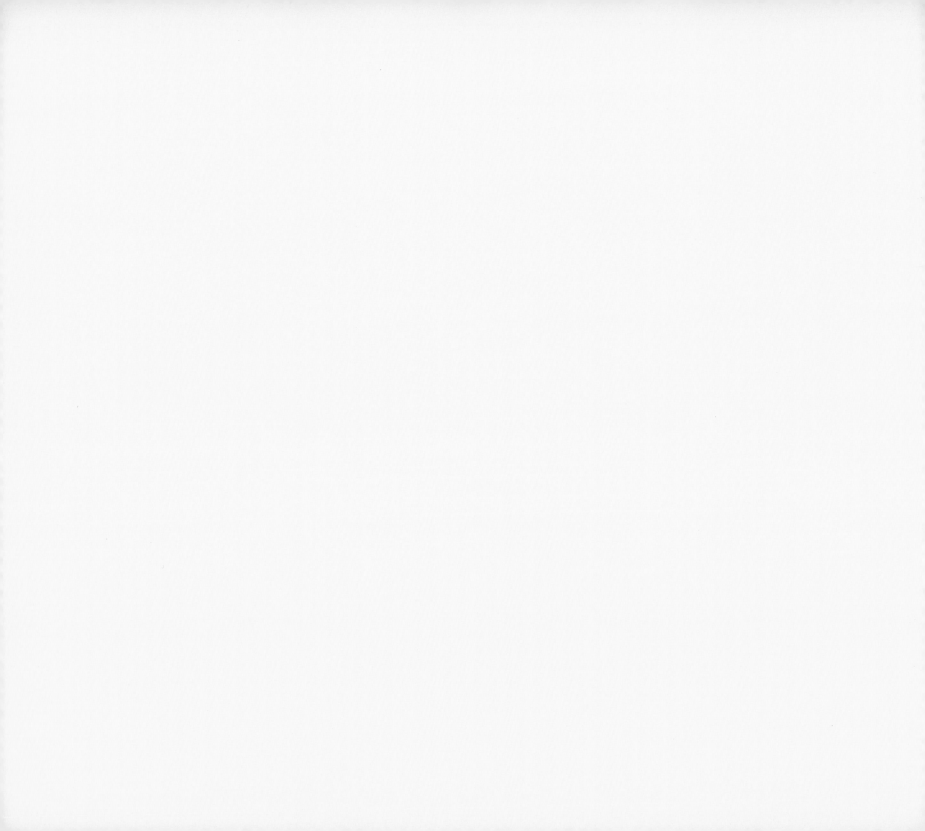

Índice
de tiendas

Frutería

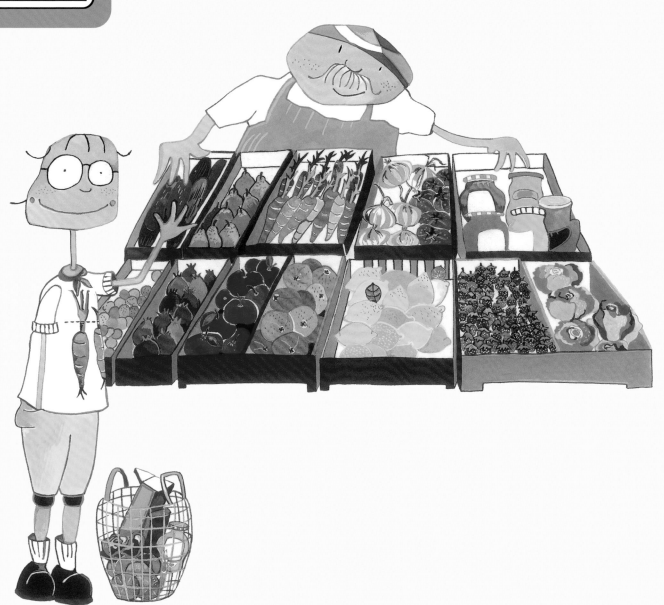

COMPRAR

 FRUTERÍA

Vamos a comprar en la frutería:

PERA	MANZANA	MELÓN	FRESA	NARANJA
pera	manzana	melón	fresa	naranja
LIMÓN	CEREZAS	CIRUELAS	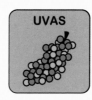 UVAS	SANDÍA
limón	cerezas	ciruelas	uvas	sandía

COMPRAR

 VERDULERÍA

Vamos a comprar en la verdulería:

 REPOLLO
repollo

 BERENJENA
berenjena

 COLIFLOR
coliflor

 BRÓCOLI
brócoli

 ZANAHORIA
zanahoria

 PATATA
patata

 TOMATE
tomate

 LECHUGA
lechuga

 CEBOLLA
cebolla

 CALABAZA
calabaza

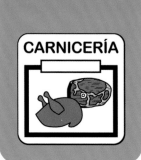

Carnicería

COMPRAR CARNICERÍA

Vamos a comprar en la carnicería:

TOCINO	BISTEC TERNERA	CARNE DE CORDERO	MUSLO DE POLLO	CHULETA DE CERDO
tocino	bistec de ternera	carne de cordero	muslo de pollo	chuleta de cerdo
POLLO	CHURRASCO	SALCHICHAS	JAMÓN	CHORIZO
pollo	churrasco	salchichas	jamón	chorizo

Pescadería

COMPRAR PESCADERÍA

Vamos a comprar en la pescadería:

SARDINAS — sardinas

SEPIAS — sepias

PULPO — pulpo

CALAMARES — calamares

LENGUADO — lenguado

RODAJAS DE SALMÓN — rodajas de salmón

TRUCHA — trucha

ALMEJAS — almejas

MEJILLONES — mejillones

NÉCORA — nécora

Panadería-Pastelería

COMPRAR PANADERÍA

Vamos a comprar en la panadería-pastelería:

 BARRA DE PAN

barra
de pan

 PAN

pan
de molde

 ROSCA

rosca

 BOMBONES

bombones

 DONUT

donut

 MAGDALENA

magdalena

 HUEVO DE CHOCOLATE

huevo
de chocolate

 PASTEL DE CHOCOLATE

pastel
de chocolate

 CARAMELOS

caramelos

 TARTA

tarta

SUPERMERCADO

Supermercado

Vamos a comprar en el supermercado:

leche

galletas

arroz

chocolate

huevo

yogur

espagueti

queso

mermelada

helado

Tienda de ropa

COMPRAR

 TIENDA DE ROPA

Vamos a comprar en la tienda de ropa:

 CALCETINES
calcetines

 VESTIDO
vestido

 FALDA
falda

 CAMISETA
camiseta

 CAZADORA
cazadora

 PANTALÓN
pantalón

 CALZONCILLO
calzoncillo

 BRAGAS
bragas

 SUDADERA
sudadera

 ABRIGO
abrigo

Zapatería

COMPRAR   **ZAPATERÍA**

Vamos a comprar en la zapatería:

 SANDALIAS
sandalias

 ZAPATILLAS
zapatillas

 DEPORTIVAS
deportivas

 ZAPATOS DE TACÓN
zapatos de tacón

 ABARCAS
abarcas

 BOTAS
botas

 CAMPERAS
camperas

 **BOTAS DE LLUVIA**
botas de lluvia

 BAILARINAS
bailarinas

 ZAPATOS DE CORDONES
zapatos de cordones

Juguetería

COMPRAR JUGUETERÍA

Vamos a comprar en la juguetería:

 GUITARRA
guitarra

 PELOTA
pelota

 TREN
tren

 MUÑECA
muñeca

 BLOQUES
bloques

 PUZLE
puzle

 COCHE
coche

 PATINES
patines

 OSITO
osito

 BICICLETA
bicicleta

Vamos a comprar en la floristería:

rosas

margarita

tulipán

planta

cactus

regadera

rastrillo

pala

maceta

semillas

Librería

COMPRAR

 LIBRERÍA

Vamos a comprar en la librería:

LIBRO	**CUENTO**	**PERIÓDICO**	**BOLÍGRAFO**	**LÁPIZ**
libro	cuento	periódico	bolígrafo	lápiz

TIJERAS	**CELO**	**LIBRETA**	 **LÁPICES DE COLORES**	**PEGAMENTO**
tijeras	celo	libreta	lápices de colores	pegamento

Cafetería

Y al acabar...
¡a disfrutar!

Después de hacer las compras, podemos recuperar fuerzas en la cafetería y tomar:

agua   café   infusión   batido   helado

día a día
MAKA KĨÑOS

Ver con otros ojos,
leer con otras palabras,
aprender con Nicolás
que un pequeño paso de hormiga
puede convertirse
en un paso de gigante

Colección **MAKA KĨÑOS** *día a día*

© del texto: Bata, 2009
© de las ilustraciones: Alicia Suárez, 2009
© de esta edición: Kalandraka Editora, 2017
Rúa de Pastor Díaz, n. 1, 4. B - 36001 Pontevedra
Tel.: 986 860 276
editora@kalandraka.com
www.kalandraka.com

Primera edición: enero, 2010
Segunda edición: septiembre, 2017
ISBN: 978-84-8464-336-4
DL: PO 363-2017
Reservados todos los derechos

MIXTO
Papel procedente de
fuentes responsables
FSC® C104983